Murielle Farget   mars 2004

ISBN 2.215.080.14.0
© GROUPE FLEURUS, 2003.
Dépôt légal à la date de parution.
Conforme à la loi n ° 49-956 du 16 juillet 1949
sur les publications destinées à la jeunesse.
Imprimé en France par *Partenaires-Livres*® (8/03)

L'imagerie des animaux

Conception et textes :
Émilie Beaumont

Images :
Marie-Christine Lemayeur
Bernard Alunni

ÉDITIONS FLEURUS, 15-27, rue Moussorgski, 75018 PARIS

LA POULE

Elle picore des graines et de petits cailloux toute la journée. Elle aime aussi les vers de terre. Ses bébés, les poussins, restent près d'elle.

La poule couve ses œufs pour avoir des poussins.

Pour sortir de l'œuf, le poussin casse la coquille avec son bec.

LE COQ

Le coq est le mari de la poule. Il est plus gros et plus robuste que les poules. Il a une allure très fière. C'est le chef de la basse-cour.

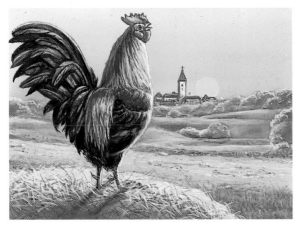

Dès que le soleil se lève,
le coq chante et réveille la ferme.

Le coq, la poule et les poussins
dorment dans le poulailler.

LES CANARDS

Papa canard, maman cane et leurs petits, les canetons, vivent au bord de la mare, car ils aiment beaucoup barboter dans l'eau.

Maman cane apprend à ses petits à nager et à attraper des têtards.

Les canetons sont très habiles pour déterrer les vers de terre.

LES OIES

Le jars est le papa oie et les petits s'appellent des oisons.
Il faut se méfier des oies : elles peuvent pincer avec leur bec.

Les oies sauvages partent vers
les pays chauds, dès la fin de l'été.

Dans certaines fermes, les oies
sont élevées en troupeaux.

LES LAPINS

Les lapins élevés à la ferme se régalent de foin, de carottes et de granulés. Dans la nature, ils ne mangent que de l'herbe.

À la ferme, la maison
des lapins s'appelle un clapier.

Certains lapins ont des poils
très longs et tout doux.

LES DINDONS

Ce sont les plus gros oiseaux du poulailler. Le dindon,
c'est le papa, la dinde, la maman et le dindonneau, le petit.

Avec sa belle queue,
le dindon peut faire la roue.

Quand le dindon se met
à crier, il fait des glouglous.

LES VACHES

Elles sont élevées pour la qualité de leur viande ou de leur lait.
Pour donner du lait toute l'année, la vache doit avoir eu un veau.

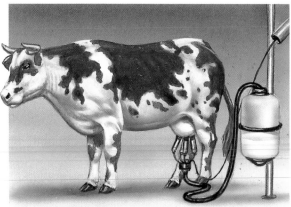

De nos jours, on trait les vaches
avec une trayeuse électrique.

Les vaches ont des couleurs
différentes suivant les races.

LES TAUREAUX

Le taureau est le mari de la vache et le papa du veau. C'est l'animal le plus puissant de la ferme. Il vit souvent seul dans son pré.

La maison des vaches, des veaux et des taureaux s'appelle l'étable.

Certains taureaux, en général noirs, participent à des courses.

LES CHEVAUX

Maman cheval est la jument et son petit, le poulain.
Pendant très longtemps, le cheval a participé aux travaux des champs.

Ce cheval lourd et fort
était utilisé à la ferme.

Ce cheval plus fin et plus léger
participe à des compétitions.

LES ÂNES

La maman âne s'appelle l'ânesse et son petit, l'ânon.
L'âne est plus petit que le cheval et il a de grandes oreilles.

Il est très robuste et peut
porter de lourdes charges.

Il est têtu : s'il ne veut plus
avancer, il est difficile de l'y obliger.

LE COCHON

Dans la famille cochon, le papa s'appelle le verrat, la maman,
la truie et les petits, les cochonnets. Tous sont aussi appelés porcs.

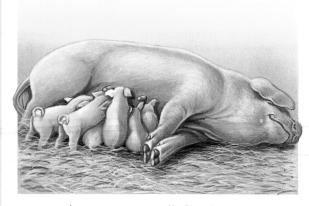

La maman allaite tous
ses petits en même temps.

Les cochons ne sont pas tous roses,
certains ont des taches noires.

LES CHÈVRES

Le petit de maman chèvre s'appelle le chevreau et le papa, le bouc. Les chèvres se régalent d'herbe et de fleurs.

Quand la chèvre pousse
son cri, on dit qu'elle béguète.

Les boucs ont des cornes plus
imposantes que celles des chèvres.

LES MOUTONS

La maman mouton s'appelle la brebis et ses petits, les agneaux.
Toute la famille broute de l'herbe et mange des feuilles.

Le bélier a des cornes.
C'est le mari de toutes les brebis.

Une fois par an, on tond les
moutons pour récupérer la laine.

LES SANGLIERS

Maman sanglier s'appelle une laie et son petit,
un marcassin. On le reconnaît à ses rayures sur son pelage.

Les sangliers partent à la recherche
de leur nourriture durant la nuit.

Le sanglier a de grandes
dents qui lui servent de défenses.

LES ANIMAUX DE LA FERME

On a rassemblé sur ces deux pages les animaux de la ferme.
Pour vérifier tes connaissances, nomme-les ainsi que leurs petits.

Connais-tu les cris des animaux ? Qui fait meuh ? cocorico ?
coin-coin ? bêêê ? glou-glou ! Quel animal ne crie pas ?

LES LOUPS

Ils vivent dans les forêts des régions froides et dans certaines montagnes. Le petit de la louve s'appelle le louveteau.

Pendant l'hiver, le pelage du loup devient plus clair.

Le loup sort surtout la nuit. Il pousse des hurlements terribles.

LES RENARDS

Maman renard est la renarde et ses petits, des renardeaux.
Ils vivent dans les forêts, en montagne ou dans les régions très froides.

Le renard agrandit parfois le terrier
d'un lapin pour s'y installer.

À la campagne, le renard rôde
souvent autour des poulaillers.

LA BICHE

La biche est la maman du faon et le papa est le cerf.
Le petit naît au printemps. La biche n'a pas de bois sur la tête.

À la naissance, le jeune faon
a son pelage tacheté de blanc.

À un an, les bois du faon
commencent à pousser.

LE CERF

Parce qu'il porte ses bois comme une couronne sur la tête,
le cerf, qui est beau et majestueux, est surnommé le roi de la forêt.

Chaque année, en hiver, les bois
tombent et repoussent aussitôt.

Les cerfs se battent souvent
pour défendre leur territoire.

L'ÉCUREUIL

Ce petit animal vit dans les arbres des forêts, grimpant à toute vitesse le long des troncs d'arbre ou sautant de branche en branche.

Il construit le nid pour ses petits dans le creux des arbres.

Il adore grignoter des noix et des noisettes.

LA BELETTE

Ce petit animal a le corps allongé, un long cou et une petite tête.
Elle a un gros appétit et passe son temps à courir après ses proies.

La belette se nourrit parfois
avec les œufs des oiseaux.

Elle chasse les taupes, mais
surtout les rats et les souris.

LE PUTOIS

De la même famille que la belette mais plus grand, le putois sent très mauvais. Quand il ne chasse pas, il est blotti dans son terrier.

C'est un bon nageur, qui aime se régaler de poissons.

Il pénètre souvent dans les poulaillers, faisant de gros dégâts.

LE BLAIREAU

De la même famille que le putois et la belette, mais un peu plus gros, c'est un animal très propre : il fait souvent le ménage dans son terrier.

Le blaireau dort le jour, au fond de son terrier, et chasse la nuit.

Il se nourrit de vers de terre, de grenouilles et de lézards.

L'OURS

C'est un animal solitaire, impressionnant lorsqu'il se dresse sur ses pattes arrière. Il possède des griffes très puissantes.

Il adore le miel, qu'il déniche dans les troncs d'arbre.

C'est un grand pêcheur. Il attrape facilement les poissons.

LE PANDA

Il ressemble à un ours. Il vit souvent seul au milieu des forêts de bambous, en Chine. Il passe beaucoup de son temps à se nourrir.

Son alimentation est constituée surtout de pousses de bambou.

Les petits sont acrobates. Ils grimpent dans les arbres.

LES ANIMAUX DE LA FORÊT

Regarde attentivement cette double page et essaie de reconnaître les animaux. Pour vérifier tes connaissances, répond aux questions de la page suivante.

Qui porte des bois sur sa tête ? Comment s'appellent les petits du sanglier ? Qui se régale du miel des abeilles ? Qui grignote des glands et des noisettes ?

LES SOURIS ET LES RATS

Les souris sont plus petites que les rats. On peut en apercevoir dans les maisons. Ils vivent en groupe et mangent tout et n'importe quoi.

Les souris et les rats ont beaucoup de bébés à la fois.

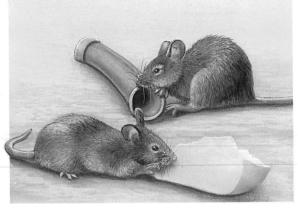

Les souris peuvent manger des tuyaux en plastique et du papier.

LE CAMPAGNOL

Ce petit animal de la même famille que les souris vit dans les champs. Il se nourrit de racines de plantes et d'écorces.

Prévoyant, il accumule des réserves dans son terrier pour l'hiver.

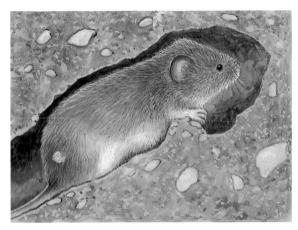

Il creuse de nombreuses galeries autour de son terrier.

LA MUSARAIGNE

Elle ressemble à une petite souris. On la reconnaît à son museau allongé. Certaines ne mesurent pas plus de 3,5 cm sans la queue.

Elle a un énorme appétit.
Elle dévore surtout des insectes.

En promenade, les petits
s'agrippent les uns aux autres.

LE HÉRISSON

Recouvert d'une armure de piquants, on le rencontre souvent dans les jardins. L'hiver, il s'endort sous les feuilles, dans un trou.

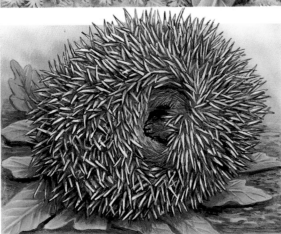

Quand il se sent en danger, le hérisson se met en boule.

Il est insensible au venin et peut s'attaquer aux vipères.

LE LAPIN DE GARENNE

Le lapin de garenne est nuisible aux cultures, car il se reproduit très vite. En effet, une femelle peut donner naissance jusqu'à 50 petits par an.

La maison du lapin
de garenne s'appelle un terrier.

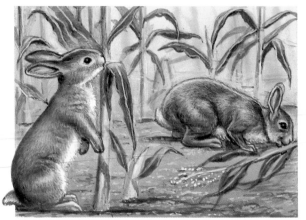

Les lapins font des dégâts
dans les champs de céréales.

LE LIÈVRE

Il ressemble à un lapin, mais ses pattes arrière sont plus longues et ses oreilles plus grandes. Il vit en solitaire, sauf au moment de la reproduction.

En cas de danger, il détale très vite ! Il peut atteindre 80 km/h.

Sa maison est un simple trou au milieu des herbes.

LA TAUPE

Elle est presque aveugle. Elle creuse sans cesse des galeries dans la terre avec ses grosses pattes à la recherche de vers de terre.

Elle a entre 2 et 5 petits à la fois, qu'elle dépose dans un nid douillet.

Elle rejette la terre des galeries et forme de petits tas : les taupinières.

LE LÉZARD

Il fait partie de la famille des serpents. Il aime se chauffer au soleil sur de vieilles pierres, car il a besoin de chaleur... mais pas trop !

La majorité des lézards naissent dans des œufs.

S'il perd un bout de sa queue, pas de panique : elle repousse !

L'ESCARGOT

C'est un animal à corps mou. Heureusement, il est protégé
par une solide coquille qui grandit en même temps que lui.

La limace est une sorte
d'escargot sans coquille.

Quand la pluie tombe,
l'escargot sort de sa coquille.

L'escargot dépose ses petits
œufs blancs dans la terre.

LES PAPILLONS

Ils sont des millions, des petits et des grands, aux couleurs différentes suivant les espèces. On les rencontre partout.

Ils pondent de minuscules œufs d'où sortent des chenilles qui, après diverses transformations, deviennent des papillons.

LES ANIMAUX DES CHAMPS

Observe bien cette double page et nomme les animaux que tu aperçois, puis essaie de répondre aux questions de la page suivante.

Qui aime se promener sous la pluie ? Donne le nom d'un insecte.
Qui creuse des galeries sous la terre ? Qui s'endort la tête en bas ?

LES GRENOUILLES

Elles vivent en général près des mares ou des rivières, dans lesquelles elles se reproduisent. Certaines survivent dans des endroits très secs.

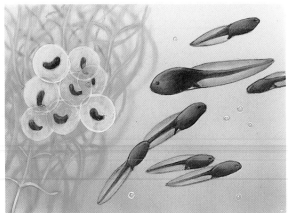

Les bébés grenouilles s'appellent des têtards.

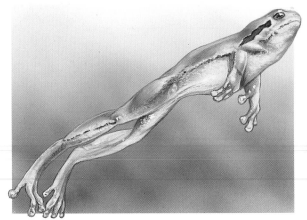

La grenouille saute pour échapper à un danger.

LA CHAUVE-SOURIS

Ce n'est pas un oiseau et pourtant elle vole. De la taille d'une grosse souris, elle vit en groupe dans des grottes et des arbres creux.

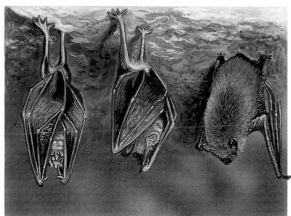

Le jour, la chauve-souris dort pendue par les pattes.

Elle se nourrit la nuit et attrape les insectes en plein vol.

LE CASTOR

Ses dents sont des outils indispensables afin de couper les morceaux de bois utiles pour construire sa hutte.

Le castor est capable d'abattre un arbre en rongeant son tronc.

Il construit des barrages avec des branches et de la boue.

LES BISONS

Autrefois des millions, les bisons américains sont maintenant protégés. Malgré leur poids, ils peuvent atteindre une vitesse de 60 km/h.

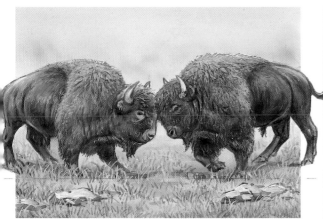

Pendant la saison des amours, les mâles se battent entre eux.

Ils savent s'adapter au froid comme aux plus fortes chaleurs.

LE RATON LAVEUR

Ce petit animal ne vit qu'en Amérique. C'est un grand vorace,
prêt à entrer dans les maisons pour trouver sa nourriture.

Il lave toujours ses proies
avant de les avaler.

C'est un excellent grimpeur
qui vole les œufs dans les nids.

LES LOUTRES

La loutre de rivière vit le long des berges, tandis que la loutre de mer passe la plupart de son temps dans l'eau à flotter entre les algues.

La loutre de mer se sert de cailloux pour ouvrir les coquillages.

Elle plonge pour attraper son mets favori, le poisson.

LES CANARDS SAUVAGES

Ils vivent sur les étangs, les lacs, les rivières, en pleine nature ou dans les parcs au milieu des villes. Ils s'adaptent très bien.

Ils s'envolent parfois à plusieurs, vers des régions plus chaudes.

Maman cane cache ses petits au milieu des roseaux.

LE HÉRON

Cet oiseau à grandes pattes, long cou et long bec,
appartient à la famille des échassiers. Il vit au bord de l'eau.

Quand il pêche, il ne bouge plus attendant qu'un poisson s'approche
de lui. Il saisit alors sa proie et l'assomme d'un coup de bec.

LA FAUVETTE ET LE MARTIN-PÊCHEUR

Le martin-pêcheur se nourrit surtout de poissons. La fauvette, quant à elle, mange des insectes et chante à plein gosier.

une fauvette

un martin-pêcheur

Le martin-pêcheur plonge très vite pour attraper les poissons.

Certaines fauvettes construisent leur nid dans les roseaux.

LE FAISAN

C'est le mâle qui a les plus belles couleurs. Le faisan fait son nid à même le sol dans un petit trou garni de plantes.

En liberté, le faisan vit dans les champs et dans les buissons.

À la ferme, il est élevé avec les poules et les canards.

LA PERDRIX

La perdrix fait son nid dans les sillons des champs.
Elle le quitte avec ses petits quand arrive la saison des moissons.

Les petits de la perdrix
adorent attraper des fourmis.

Le mâle aide la femelle à élever
les petits dès leur naissance.

LE PIGEON

On le rencontre surtout en ville, dans les jardins et sur les places. Il s'est très bien accoutumé à la présence de l'homme.

Il dort dans un pigeonnier et pousse des roucoulements.

Le pigeon voyageur retrouve son nid même à plusieurs kilomètres.

LES MOUETTES

Ces oiseaux de mer vivent dans les rochers et les falaises.
Leurs piaillements sont une façon de communiquer.

Ces oiseaux très connus volent souvent en groupes autour des bateaux
qui rentrent de la pêche pour essayer d'attraper quelques poissons.

LE ROUGE-GORGE

Quand le printemps revient, la mélodie du rouge-gorge retentit au petit matin. Il chante juché sur une haute branche.

Le rouge-gorge construit son nid au pied des buissons.

Il se nourrit d'insectes qu'il attrape en vol.

LE PIC-VERT ET LA MÉSANGE

Dès que le printemps revient, mêlé aux chants des oiseaux, on entend le toc-toc des pics qui frappent les troncs d'arbre.

un pic-vert

une mésange

Le pic-vert tape son bec sur les troncs pour déloger les larves.

La mésange fait son nid dans les creux des vieux arbres.

LE MERLE ET LE CORBEAU

Le merle est un oiseau familier des jardins et des parcs. Le corbeau est plutôt présent dans les champs. Il niche en haut des arbres.

un corbeau

un merle

Dès le lever du jour,
le merle se met à siffler.

Le corbeau adore picorer les
graines semées au printemps.

LA PIE

De la même famille que le merle ou le corbeau, la pie
se différencie par ses belles taches blanches et sa longue queue.

La pie vole souvent les œufs dans
les nids des autres oiseaux.

Elle aime tout ce qui brille.
Elle peut même dérober un bijou.

LE MOINEAU

Ce petit oiseau n'est pas toujours aimé des jardiniers,
car au printemps il se régale des bourgeons des arbres !

C'est un oiseau familier qui ne vit
pas seul. Il est toujours en groupe.

Le moineau adore
manger les grains de raisin.

L'HIRONDELLE

On attend avec impatience le retour des hirondelles,
car il annonce la venue du printemps et des beaux jours.

L'hirondelle construit
son nid au-dessous des toits.

À la fin de l'été, les hirondelles
partent vers les pays chauds.

LES PERROQUETS

En général, les perroquets vivent très vieux. Certains d'entre eux sont capables de répéter des mots et des sons.

Ils sont reconnaissables à leur grosse tête et à leur bec crochu.

Les perruches s'apprivoisent facilement en volière.

L'AUTRUCHE

C'est le plus grand des oiseaux vivants. Elle peut peser jusqu'à 150 kg, mais ses ailes atrophiées l'empêchent de voler.

Elle peut courir très vite, jusqu'à 70 km/h en pointe.

Elle pond ses œufs dans un simple trou, une quinzaine à la fois.

LES MANCHOTS

Ces animaux n'en ont pas l'air et pourtant ce sont des oiseaux, mais ils ne volent pas : leurs ailes sont devenues des rames !

Ils adorent plonger dans l'eau pour chasser les poissons.

C'est le papa manchot qui couve l'unique œuf pondu par la maman.

L' AIGLE

C'est un rapace qui a été beaucoup chassé par l'homme.
Il a une très bonne vue qui lui permet de voir ses proies de loin.

L'aigle fait son nid dans les
rochers des hautes montagnes.

C'est un bon chasseur. Il attrape
ses proies avec ses griffes.

LES CHOUETTES

Ce sont des oiseaux qui chassent surtout la nuit. Le jour, elles dorment. Leur vue est excellente et elles entendent très bien.

Le hibou est reconnaissable à ses oreilles dressées.

Les chouettes se nourrissent de rats, de lapins, de grenouilles.

LE PÉLICAN

Le bec du pélican est muni d'une poche élastique
qui lui permet d'attraper les poissons comme avec une épuisette.

Le petit trouve dans le bec de sa
mère les poissons pour se nourrir.

Le pélican possède
de grandes ailes très robustes.

LE FLAMANT ROSE

C'est un bel oiseau qui aime les régions chaudes. Sa couleur vient des petits crustacés dont il se nourrit, qui contiennent des colorants roses.

Trop lourd, le flamant rose doit courir un peu avant de s'envoler.

Grâce à son bec recourbé, il filtre l'eau pour garder les crevettes.

LA CIGOGNE BLANCHE

Quand ce grand oiseau, reconnaissable à son long bec rouge, est de retour, on sait que le printemps n'est pas loin.

Elle construit son nid souvent en haut des cheminées.

À la fin de l'été, elle quitte l'Europe pour l'Afrique.

LES CYGNES

Ces beaux oiseaux vivent sur l'eau des lacs et des étangs.
Ils se nourrissent d'herbe, de poissons, de bébés grenouilles.

Les mâles sont très agressifs
et se mettent facilement en colère.

Maman cygne fait son nid
dans les roseaux ou sur la berge.

LE CROCODILE

Cet animal terrifiant est plutôt paresseux : il passe son temps
à attendre dans l'eau qu'une proie s'approche pour l'attraper.

Dès leur naissance, la mère
transporte ses petits dans l'eau.

Le crocodile est un excellent
nageur. Il glisse sans faire de bruit.

LE CAMÉLÉON

C'est un lézard qui vit surtout dans les arbres
et qui peut changer de couleur suivant son humeur.

Quand il mue, sa peau
se détache en lambeaux.

Le caméléon attrape ses proies
avec sa langue, qu'il déroule vite.

L'HIPPOPOTAME

Il passe son temps dans l'eau. Il sait très bien nager
mais se déplace aussi en marchant sur le fond de la rivière.

La nuit, il se promène à la
recherche de quelques herbes.

Le jour, l'hippopotame vit dans
l'eau pour lutter contre la chaleur.

LE RHINOCÉROS

Cet énorme animal est capable de courir très vite quand il est en colère, mais il a une mauvaise vue : il heurte parfois les arbres.

Ces oiseaux débarrassent le rhinocéros de ses parasites.

Avec sa peau épaisse et son allure, on dirait un dinosaure !

LES GAZELLES

Ces animaux au corps élancé et aux longues pattes fines sont malheureusement les proies préférées des fauves, lions et panthères.

Elles se nourrissent surtout avec les feuilles des arbres.

Pour fuir un danger, la gazelle fait des bonds impressionnants.

LE ZÈBRE

On dirait un petit cheval qui aurait enfilé un pyjama rayé blanc et noir. Chaque animal a des rayures différentes.

Les mâles se bagarrent en se dressant l'un contre l'autre.

Grâce à ses rayures, le zèbre se camoufle plus facilement.

LES GNOUS

Les gnous vivent en troupeaux. Ils sont capables de marcher des jours et des jours pour trouver de l'eau et de l'herbe à brouter.

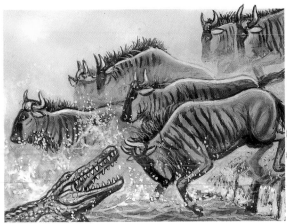

Ils sont la proie des crocodiles lorsqu'ils traversent les rivières.

Ils ont une tête allongée surmontée de cornes de vache.

L'ÉLÉPHANT

L'éléphant est le plus gros des animaux après la baleine bleue. Il peut vivre cent ans. Il est souvent chassé pour l'ivoire de ses défenses.

Sa trompe est un merveilleux outil. Il s'en sert comme d'une main.

L'eau lui est indispensable pour se rafraîchir et chasser les insectes.

LA GIRAFE

C'est le plus grand de tous les animaux. Elle vit en troupeau.
En cas de danger, elle est capable d'atteindre la vitesse de 50 km/h.

Ses pattes sont si longues
qu'elle doit les écarter pour boire.

Grâce à son cou très allongé, elle
attrape les feuilles les plus hautes.

LE LION

Le lion est le roi des animaux. Il vit en groupe constitué de plusieurs femelles avec leurs petits et de deux ou trois mâles.

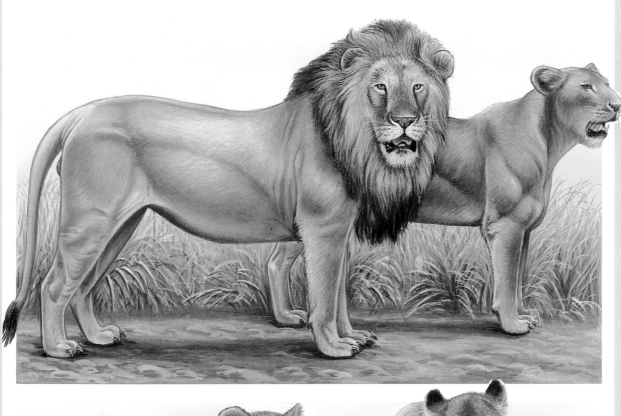

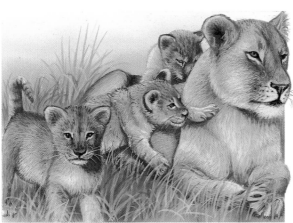

La lionne peut garder ses petits, mais aussi ceux des autres.

Elle déplace ses lionceaux en les portant dans sa gueule.

DE MAGNIFIQUES FÉLINS

Ces animaux au corps musclé et au pelage magnifique sont des carnivores. Leurs dents sont très développées, ainsi que leurs griffes.

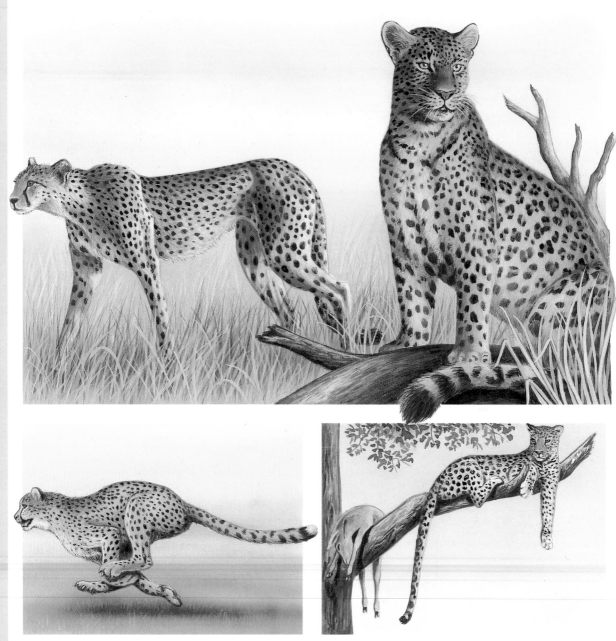

Le guépard est le mammifère le plus rapide du monde.

Le léopard transporte souvent ses proies dans les arbres.

LE CHAMEAU

Grâce à la graisse emmagasinée dans ses bosses,
le chameau peut rester plusieurs jours sans boire ni manger.

Il est résistant et peut
courir un jour sans s'arrêter.

Le dromadaire est un chameau
avec une seule bosse.

LE FENNEC

Dans la famille du renard, c'est le plus petit. Il est reconnaissable à ses grandes oreilles et à ses pattes courtes et velues. Il vit dans le désert.

Pour se protéger de la chaleur,
il vit dans un profond terrier.

C'est la nuit que le fennec part
à la recherche de sa nourriture.

LE TIGRE

C'est le plus gros de tous les fauves. Il chasse surtout la nuit et est capable d'avaler jusqu'à 40 kg de viande en une seule fois !

Pour attraper une proie, ce terrible chasseur peut se jeter à l'eau.

Le tigre de Sibérie a une fourrure plus claire et plus épaisse.

LES GRANDS SINGES

Ce sont les animaux les plus proches de l'homme. Leurs attitudes, leurs réactions face aux événements laissent à penser qu'ils savent réfléchir.

L'orang-outan préfère les fruits, mais ne déteste pas les feuilles.

Chez les orangs-outans, seul le mâle a une tête impressionnante.

D'AUTRES SINGES

Les singes vivent pour la majorité dans les forêts des régions chaudes.
Ils se nourrissent surtout de fruits, de feuilles et de quelques insectes.

un chimpanzé

un singe-hurleur

On peut apprivoiser
un chimpanzé quand il est petit.

Le ouistiti est le plus petit. Il tient
dans le creux de la main.

LE TAMANOIR

Appelé aussi grand fourmilier, il est très poilu. Ses pattes munies de griffes puissantes lui servent à éventrer les termitières.

Avec sa langue couverte de salive collante, il attrape des termites.

Il s'endort dans un trou en se cachant sous sa queue touffue.

LE KOALA

Il se nourrit de feuilles d'eucalyptus, qui ne lui apportent pas beaucoup d'énergie. C'est pour cela qu'il se déplace lentement et dort souvent.

Il ne boit jamais, il se désaltère avec des feuilles.

Il peut s'endormir agrippé à un tronc d'arbre.

LE KANGOUROU

C'est un marsupial : la femelle donne naissance à une minuscule larve qui se développe ensuite dans sa poche ventrale.

Il peut faire des bonds de 4 m de haut et courir à 80 km/h.

Le petit sort parfois de la poche, mais il y retourne très vite.

LE BOA

Ce grand serpent s'attaque aussi bien à de petits oiseaux qu'à de gros animaux. C'est un excellent nageur.

Le boa est très puissant.
Il tue ses proies en les étouffant.

Comme les autres serpents,
il change régulièrement de peau.

LA COULEUVRE ET LA VIPÈRE

La couleuvre n'est pas dangereuse. Le venin de la vipère, contenu dans de longs crochets situés dans sa gueule, peut tuer.

La vipère est reconnaissable au V qu'elle a sur la tête.

La couleuvre vit dans les endroits humides, les lacs ou les étangs.

LE CHAMOIS

Il ressemble un peu à une grosse chèvre. Il est très difficile à apercevoir, car il se sauve à toute vitesse au moindre bruit.

Le chamois vit dans les hautes montagnes.

Il est très agile et saute de rocher en rocher sans difficulté.

LE BOUQUETIN ET LE MOUFLON

Ces deux animaux vivent en montagne, parfois en haute altitude. Ce sont les mâles qui ont les cornes les plus longues.

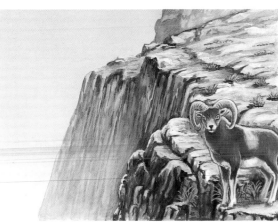

Le mouflon très agile, grimpe sur les pentes les plus raides.

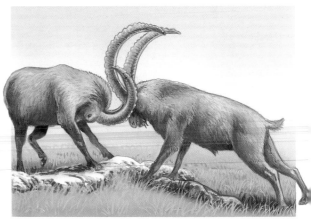

Pour séduire les femelles, les mâles se battent entre eux.

LA MARMOTTE

En été, dans la montagne, on entend ses sifflements. Elle aime se chauffer au soleil quand elle ne se gave pas d'herbe et de fleurs.

Au moindre danger, elle se réfugie au fond de son terrier.

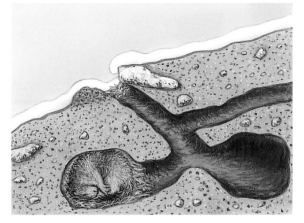

L'hiver, elle ferme l'entrée de son terrier et s'y endort au chaud.

LES ABEILLES

Ces insectes vivent en société, avec une reine qui pond et des abeilles ouvrières qui travaillent sans cesse dans la ruche ou en dehors.

L'apiculteur les élève dans des ruches pour faire du miel.

Les abeilles butinent les fleurs pour récolter le nectar.

LES GUÊPES

Les guêpes et les abeilles se ressemblent, mais les guêpes ont la taille plus fine. Elles piquent toutes les deux avec leur dard.

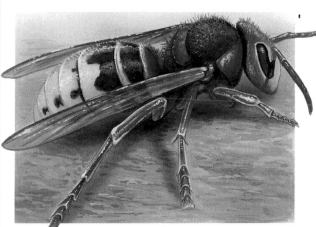

Le frelon est une énorme guêpe. Il s'installe dans les troncs creux.

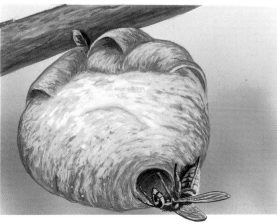

C'est au printemps que les guêpes construisent leur nid.

LES FOURMIS

Ce sont les insectes les plus nombreux vivant sur la terre. Elles vivent en colonies au sein desquelles chacune a un travail bien précis.

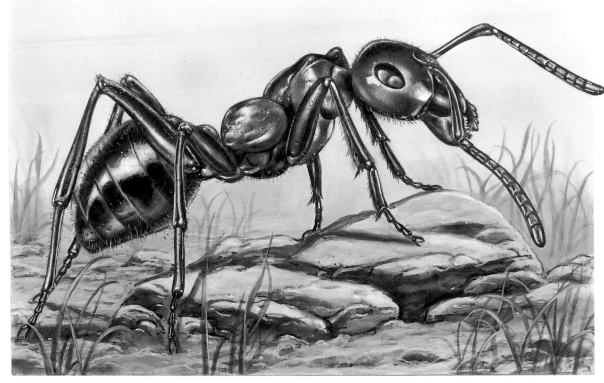

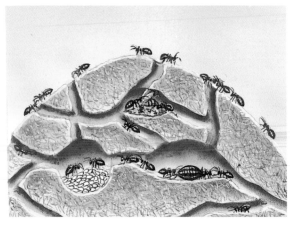

La maison des fourmis s'appelle la fourmilière.

Tout ce qu'elles ramassent est transporté dans la fourmilière.

LA COCCINELLE

C'est un insecte aimé des agriculteurs, car il dévore d'autres insectes nuisibles aux cultures, ce qui évite d'utiliser des insecticides.

La coccinelle, ou bête à bon Dieu, se nourrit surtout de pucerons.

Elle a une paire d'ailes rigides qui en protège d'autres plus fines.

LA SAUTERELLE

C'est un insecte qui vit l'été. Elle aime la chaleur et se met à chanter au soleil. Elle vit au milieu des herbes des champs.

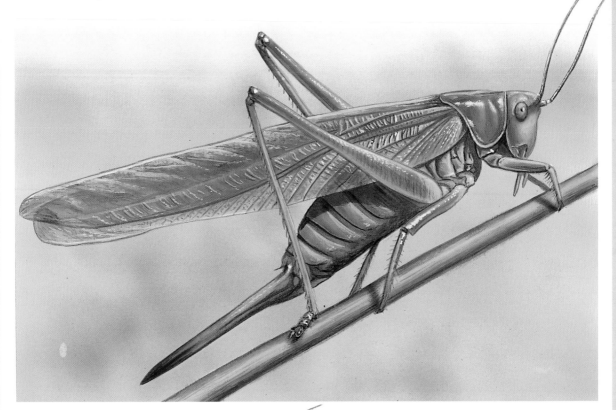

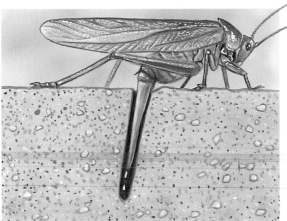

À la fin de l'été, elle pond, en général dans le sol, puis meurt.

Des criquets peuvent détruire des cultures en quelques heures.

QUELQUES INSECTES

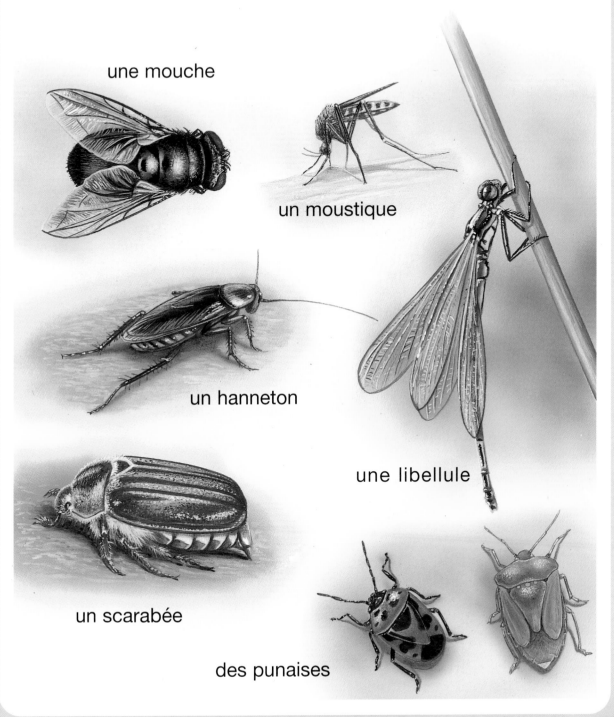

une mouche

un moustique

un hanneton

une libellule

un scarabée

des punaises

L'ARAIGNÉE ET LE SCORPION

Ces deux animaux appartiennent à la même famille des arachnides.
Ils ont quatre paires de pattes, alors que les insectes n'en ont que trois.

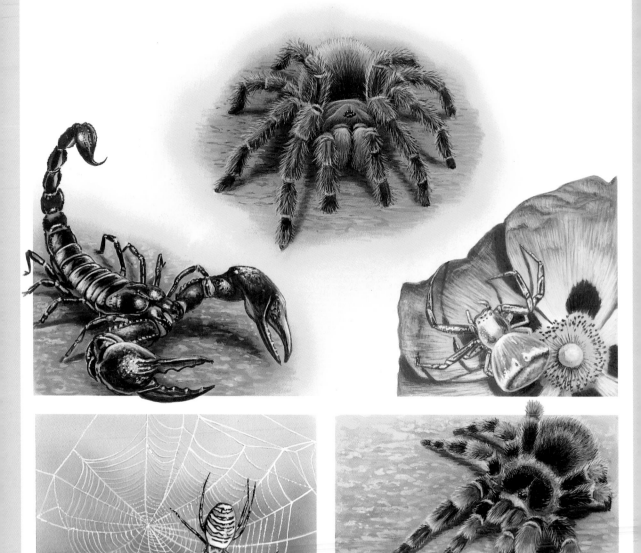

L'araignée tisse sa toile
pour capturer ses proies.

Certaines araignées sont
capables d'attraper des souris.

POISSONS DE RIVIÈRE

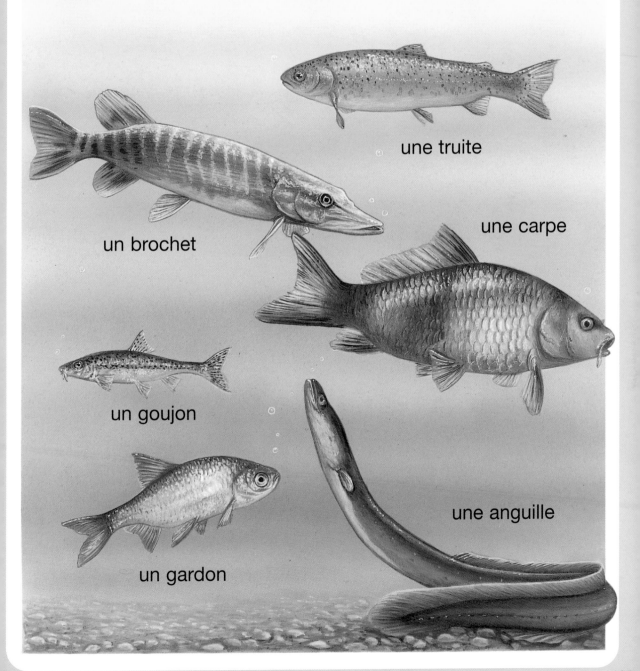

une truite

un brochet

une carpe

un goujon

une anguille

un gardon

POISSONS DE MER

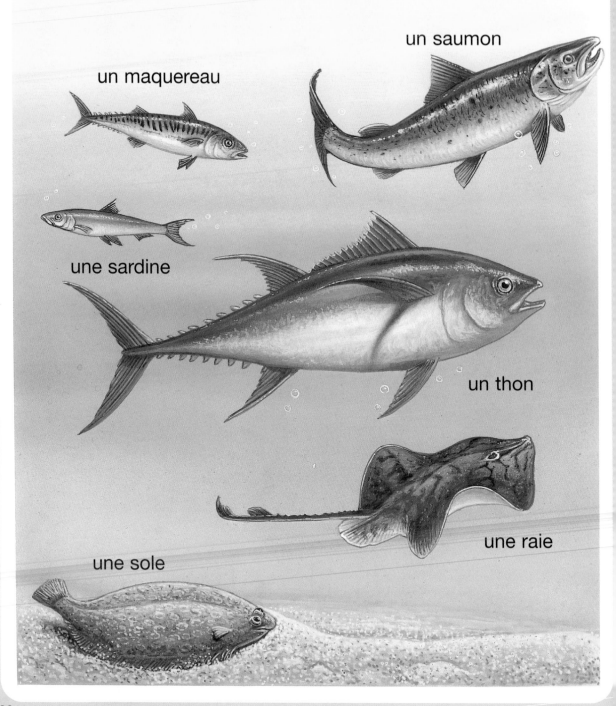

un saumon

un maquereau

une sardine

un thon

une raie

une sole

LES BALEINES

Elles appartiennent à la famille des cétacés. Certaines ont des dents comme le cachalot, d'autres des fanons comme la baleine bleue.

Le cachalot a une tête énorme. Il plonge à de grandes profondeurs.

En surface, la baleine rejette de l'air et de l'eau.

LES REQUINS

Certains requins sont dangereux comme le requin blanc, d'autres inoffensifs comme le requin baleine, le plus gros de tous les poissons.

Les dents du requin blanc sont des armes très coupantes.

Malgré sa taille, le requin baleine ne mange que de petits crustacés.

LES DAUPHINS

Ce sont des mammifères très intelligents. Ils aiment le contact avec les hommes. Ils vivent en bandes et se nourrissent de poissons et de calmars.

Ce sont de vrais acrobates, capables de faire des sauts impressionnants.

Ils sont souvent pris dans les grands filets des pêcheurs et meurent noyés.

LA PIEUVRE

Elle possède huit tentacules, des bras très longs et garnis de ventouses qui lui permettent de se déplacer et d'attraper ses proies.

Après la ponte, la pieuvre accroche ses œufs au plafond de sa grotte. Elle ne les quittera plus jusqu'à leur éclosion, arrêtant même de s'alimenter.

QUELQUES CRUSTACÉS

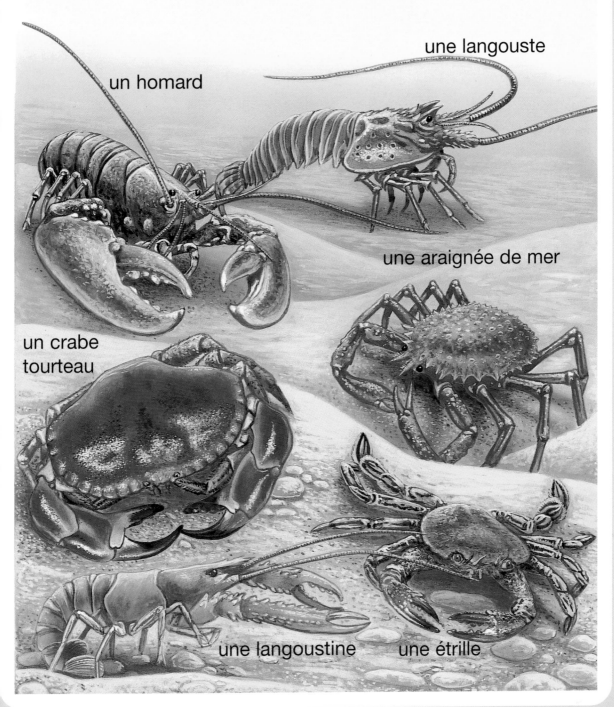

une langouste

un homard

une araignée de mer

un crabe tourteau

une langoustine   une étrille

QUELQUES COQUILLAGES

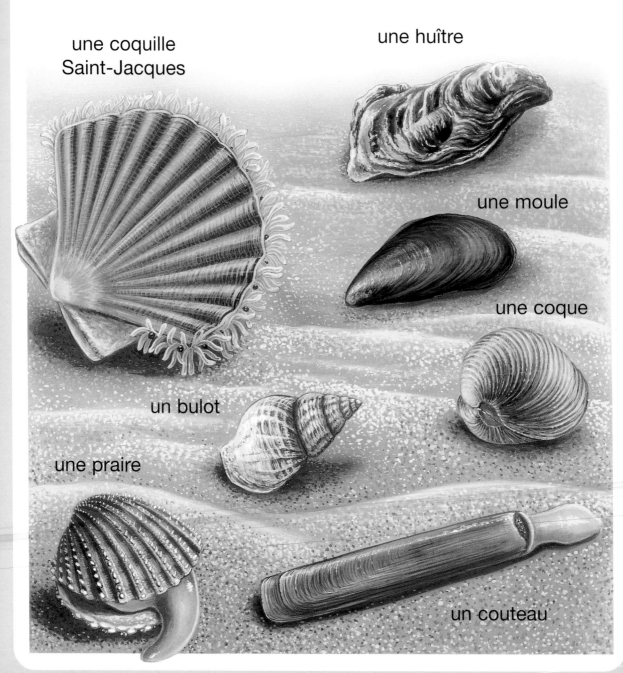

une coquille
Saint-Jacques

une huître

une moule

une coque

un bulot

une praire

un couteau

ANIMAUX DE LA BANQUISE

Le morse est reconnaissable à ses défenses et l'éléphant de mer à son drôle de nez en forme de trompe.

Le phoque est pataud sur terre, mais en mer c'est un excellent nageur.

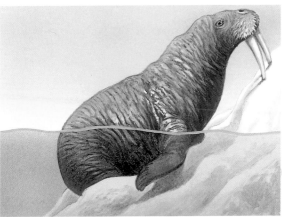

Les défenses du morse, très solides, l'aident à se hisser sur la glace.

L'OURS POLAIRE

L'ours blanc, ou ours polaire, vit dans les régions très froides.
Il est protégé par une bonne couche de graisse et une épaisse fourrure.

Il s'attaque surtout aux phoques,
qu'il assomme avec ses pattes.

Il passe beaucoup de temps dans
l'eau. C'est un très bon nageur.

LES RENNES

Appelés aussi caribous, ils vivent en groupes et se déplacent plusieurs fois par an à la recherche de nourriture.

Grâce à ses bois, le renne fouille le sol pour trouver sa nourriture.

Il a été longtemps utilisé pour tirer les traîneaux !!!

LES CHATS

En dehors des chats qui passent leur vie avec l'homme,
il existe des chats sauvages qui vivent dans les bois.

Ils appartiennent à la même famille que les fauves et,
même domestiqués, ils ont gardé leur instinct de chasseurs.

QUELQUES CHATS

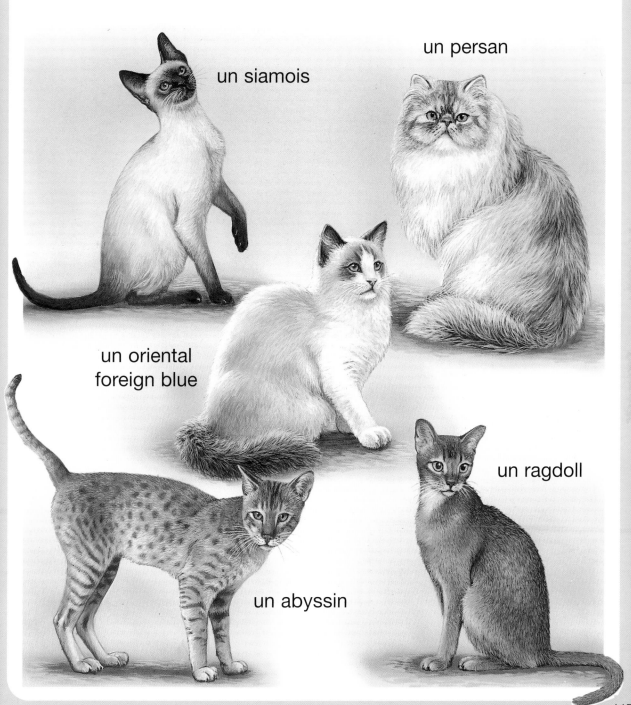

un persan

un siamois

un oriental
foreign blue

un ragdoll

un abyssin

LES CHIENS

Ce sont les premiers animaux à avoir été domestiqués.

Les chiens descendent
du loup. Les races ont
été créées par l'homme.

Des chiens sont dressés
pour attaquer, trouver de la drogue
ou sauver des victimes.

Certains chiens aident
les bergers à guider les moutons
et à les garder en montagne.

QUELQUES CHIENS

un lévrier

un yorkshire

un boxer

un fox-terrier

un bâtard

un cocker

LES TORTUES

Il en existe des terrestres et des marines. Les premières mangent de l'herbe, des feuilles, les secondes des algues, des méduses.

La tortue luth est la plus grande de toutes les tortues marines.

Les tortues marines pondent toujours sur la même plage.

LE COCHON D'INDE

C'est un petit rongeur affectueux et timide qui adore
être caressé. C'est un compagnon de jeu très attachant.

Il est très propre et prend
du temps pour faire sa toilette.

Dans la nature, en promenade, les
petits sont entre papa et maman.

QUELQUES DINOSAURES

Ces animaux ont disparu il y a 65 millions d'années.
Certains ne mangeaient que des plantes, comme l'énorme

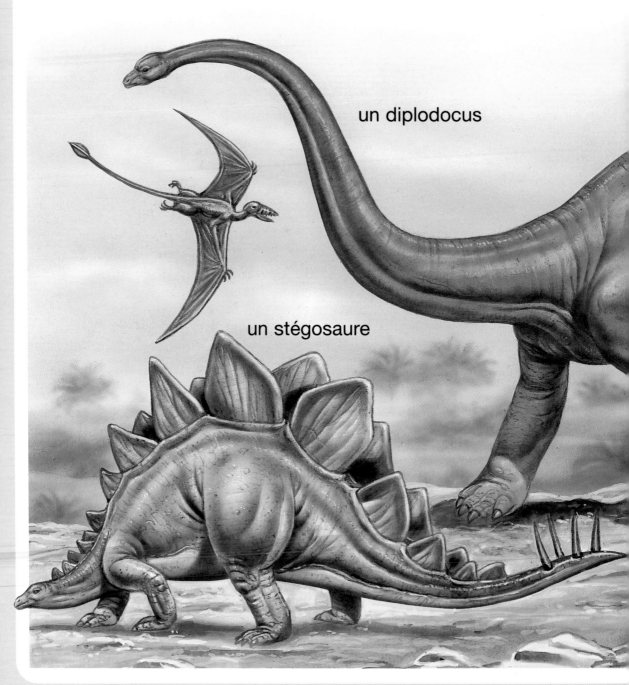

un diplodocus

un stégosaure

diplodocus et le drôle de stégosaure. D'autres se nourrissaient de viande, comme le terrifiant tyrannosaure.

un tyrannosaure

LES MAMMOUTHS

Ils ressemblaient à d'énormes éléphants et vivaient au temps des hommes préhistoriques, dans les grandes plaines glacées.

La viande de mammouth représentait une part importante de l'alimentation des hommes.

Les hommes préhistoriques utilisaient les os et les défenses pour construire leurs maisons.

LISTE ALPHABÉTIQUE